Descubre el español con Santillana

D

CUADERNO DE PRÁCTICA

SANTILLANA USA

Descubre el español con Santillana
Cuaderno de práctica Level D
ISBN-13: 978-1-61605-623-0

Editorial Staff

Contributing Writers: Dina Rivera and Sandra Angulo
Senior Project Editor: Patricia Acosta
Developmental Editors: Jennifer Carlson and Camila Segura
Editorial Director: Mario Castro
Design and Production Manager: Mónica R. Candelas Torres
Head Designer: Francisco Flores
Design and Layout: Edwin Ramírez Mendieta
Image and Photo Research Editor: Mónica Delgado de Patrucco
Cover Design and Layout: Studio Montage

Acknowledgments

Illustrations: Esteban Tolj

Santillana USA Publishing Company, Inc.
2023 NW 84th Avenue, Doral, FL 33122
www.santillanausa.com

Printed in the United States of America
by Whitehall Printing Company

20 19 18 17 16   2 3 4 5 6 7 8 9

Índice

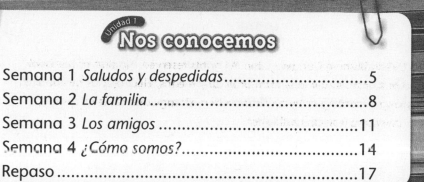

Unidad 1 · Nos conocemos

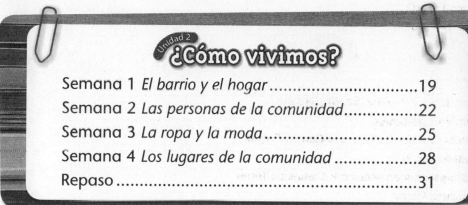

Unidad 2 · ¿Cómo vivimos?

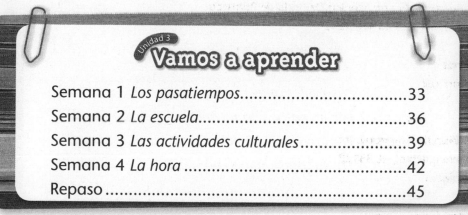

Unidad 3 · Vamos a aprender

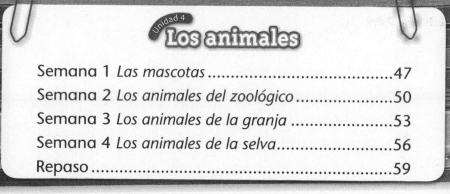

Unidad 4 · Los animales

Índice

Descubre el español con Santillana Level D © Santillana USA

Nombre _____ Fecha _____

▶ Busca las palabras o frases. Enciérralas en un círculo.

mucho gusto	cómo estás	mercado	saludos
gracias	yo soy	adiós	hola

c b t n e i b q e b m

r n s t o a e y y k u

f h x b n m y l t b c

m e r c a d o d a h h

u n d g s t s e m e o

a h o l a b o l u n g

d e b g d u y e d y u

i i o u g r e f o g s

ó k g r a c i a s h t

s m n n r t u n J l o

m c ó m o e s t á s á

n j s a l u d o s v j

Nombre _____ Fecha _____

A. Clasifica.

| Hasta mañana. | Nos vemos pronto. | ¡Hasta luego! |
| ¿Cómo estás? | ¡Adiós! | ¡Hola! |

Saludos	Despedidas
	¡Adiós!

B. Escoge y completa.

| Mucho gusto. | Te presento a | Ella es | Yo soy | Él es |

Hola, Armando. _____ mi amigo Sergio.

_____

_____ Kai.

_____ Alana.

_____ Amaya.

Descubre el español con Santillana Level D © Santillana USA

Nombre _____ Fecha _____

A. Escribe *Buenas días, Buenas tardes* o *Buenas noches.*

_____ _____ _____

B. Escribe *señor* o *señora.*

1.  Yo soy la _____ Macías.

2.  Yo soy el _____ García.

3.  Te presento a la _____ Fernández.

Nombre _____ Fecha _____

▶ Lee las pistas. Completa el crucigrama.

hermana   familia   debajo   ~~abuelo~~

~~mamá~~   papá   ~~dentro~~   ~~lado~~

1.  Yo soy el __abuelo__ ✓ de Amaya.

2.  Los abuelos están __debajo__ de la sombrilla. ✓

3.  Yo estoy con mi __familia__ ✓.

4.  Yo soy el __papá__ ✓ de Amaya.

5.  Yo soy la __hermana__ ✓ de Amaya.

6.  Yo soy la __mamá__ ✓ de Amaya.

7.  Alana está al __lado__ de Kai.

8.  La niña está __dentro__ de la carpa.

Crucigrama:
- 4 across/down: p q p q
- 2 down: d e b a j o
- 5 across: d
- 3 down: f a m i l i a
- 6: m
- 1 down: a b u e l o
- 8 across: e
- 7 across: l

Descubre el español con Santillana Level D © Santillana USA

Nombre _____ Fecha _____

▶ Escoge la vocal y completa.

| a e i o u |

1. __nicorni__

2. __v__s

3. __guan__

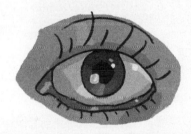

4. __j__

5. ab__el__

6. __strell__

7. __lefant__

8. __s__

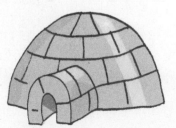

9. __glú

10. h__rman__

Nombre _____   Fecha _____

▶ Observa el árbol familiar. Une.

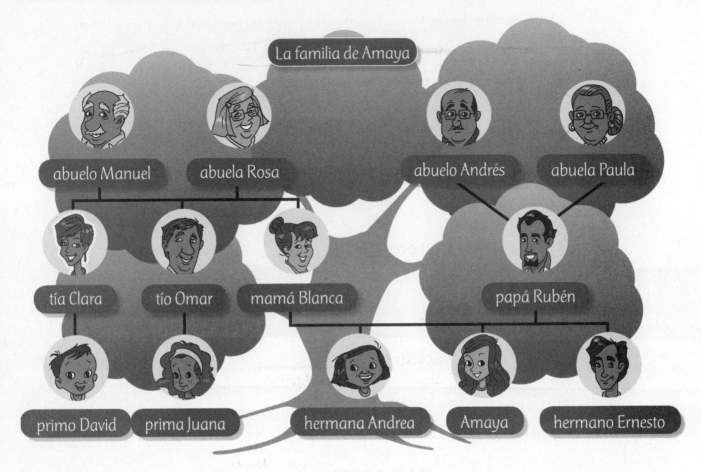

La familia de Amaya

abuelo Manuel   abuela Rosa   abuelo Andrés   abuela Paula

tía Clara   tío Omar   mamá Blanca   papá Rubén

primo David   prima Juana   hermana Andrea   Amaya   hermano Ernesto

1. Manuel y Andrés son   el tío.

2. Andrea es   los abuelos.

3. Omar es   la hermana.

4. Rubén es   el papá.

5. Rosa y Paula son   el hermano.

6. Ernesto es   las abuelas.

7. Juana es   la prima.

8. Blanca es   la mamá.

Descubre el español con Santillana Level D © Santillana USA

A. Ordena las letras. Escribe las palabras.

comer   vivo   llamo   amigos   llamas

1. Miguel y Kai son __amigos__ .
   samogi

2. ¿Quieres __comer__? Yo como ceviche.
   omcre

3. ¿Cómo te __llamas__ ? Me __llamo__ Alana.
   malsal   lomal

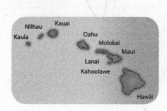

4. Yo __vivo__ en Hawái.
   voiv

B. Encierra en un círculo la respuesta correcta.

1. ¿Cómo estás?
   a. Buenos días.   b. Bien, gracias.

2. ¿Cómo te llamas?
   a. Yo como ceviche.   b. Me llamo Rubén.

3. ¿Cómo se llama tu amigo?
   a. Mi amigo se llama Kai. b. Mucho gusto.

4. ¿Dónde vives?
   a. Yo vivo en Perú.   b. Sí, gracias.

Nombre _____ Fecha _____

A. Mira el dibujo. Completa.

| el señor | el doctor | la señora | la doctora |

1. _la señora_

2. _la doctor_

3. _el señor_

4. _el doctor_

B. Une.

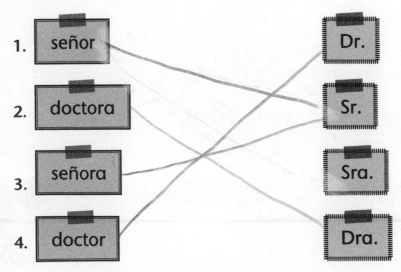

1. señor

2. doctora

3. señora

4. doctor

Dr.

Sr.

Sra.

Dra.

Descubre el español con Santillana Level D © Santillana USA

▶ Completa las oraciones.

restaurante   hermana   amigos
papá   abuela   doctor

1. Alana come en un <u>restaurante</u>

2. Amaya habla con su <u>abuela</u>.

3. Él es el <u>doctor</u> González.

4. Él es el <u>Papá</u> de Amaya.

5. Kai, Miguel y Alana son <u>amigos</u>.

6. Amaya y su <u>hermana</u> viven en Perú.

Nombre _____ Fecha _____

▶ Lee las pistas. Completa el crucigrama.

cómico   ciudad   ~~playa~~   baja   ~~alto~~   serio

1. Kai es
   cómico.

2. Vivo al lado de
   la _palaya_.

3. Kai es
   alto.

4. Vivo en la
   ciudad.

5. El señor es
   serio.

6. Andrea es
   baja.

	¹c						²p	
	ó						l	
	m						a	
⁴C	i	u	d	a	d			
	c						y	
⁵s	e	r	i	o		⁶b	a	j	³a
									l
									t
									o

Nombre _____ Fecha _____

A. Encierra en un círculo la respuesta correcta.

1. Mi mamá _____ doctora.

   a. son   b. es

2. Yo _____ una niña.

   a. eres   b. soy

3. Ernesto y Elvira _____ mis padres.

   a. somos   b. son

4. Nosotros _____ amigos.

   a. es   b. somos

5. Tú _____ mi hermana.

   a. eres   b. soy

B. Une.

1. Tú   son pequeñas.

2. El papá de Sandra   eres muy alto.

3. La ciudad   somos amigos.

4. Roberto y Carlos   es bonita.

5. Miguel y yo   son amables.

6. El ceviche   es simpático.

7. Las casas   es delicioso.

Nombre _____ Fecha _____

A. Escoge. Completa el mensaje.

¡Hola!

Yo me llamo Nicolás. Yo (son / soy) alto.

Yo vivo en Cuzco. La ciudad es (hermosa / baja). El mercado es (grande / amable).

Mi casa es (pequeña / delicioso).

Mi mamá (es / son) bonita. Mi papá es (pequeña / amable). Mis amigos son

(simpáticos / delicioso).

¿Cómo (son / eres) tú?

¡Hasta luego!

B. Escribe un mensaje para Nicolás. Completa las oraciones.

¡Hola, Nicolás!

Yo me llamo _____ . Yo soy _____ .

Yo vivo en _____ . Mi ciudad es _____ .

Mi casa es _____ . Mi familia es _____ .

Mis amigos son _____ .

¡Nos vemos!

Descubre el español con Santillana Level D © Santillana USA

▶ Escoge.

1.

Alana, te presento a mis padres.

   a. Adiós.

   b. Muy bien, gracias.

   c. Mucho gusto.

   d. Hasta luego.

2.

   a. Ella es mi mamá.

   b. ¡Adiós!

   c. Yo soy Alana.

   d. ¿Cómo estás?

3.

La niña está…

   a. al lado de la carpa.

   b. dentro de la carpa.

   c. enfrente del árbol.

   d. en la casa.

4.

   a. abuela

   b. abuelo

   c. ojo

   d. oso

5. ¿Cómo te llamas?

   a. Bien, gracias.

   b. Él es mi hermano.

   c. Yo como ceviche.

   d. Me llamo Alana.

6. ¡Hola, _____ González!

   a. Dra.

   b. Él

   c. Sra.

   d. Dr.

7. Esteban, David y yo _____ primos.

   a. son

   b. soy

   c. somos

   d. eres

8. Mi hermano es _____ y yo soy bajo.

   a. deliciosa

   b. alto

   c. familia

   d. hermana

Nombre _____ Fecha _____

▶ Completa.

1.

El _____ de Argentina vive en la Casa Rosada.

2.

¡El _____ es hermoso!

3.

Mi barrio tiene muchos _____.

4.

Mi ciudad tiene una _____ bonita.

5.

El _____ es grande.

6.

El barrio La Boca es un lugar _____.

Unidad 2 ¿Cómo vivimos?   **Semana 1** El barrio y el hogar   21

Nombre _____ Fecha _____

▶ Lee las pistas. Completa el crucigrama.

| panadería | zapatería | compran | tiendas |
| zapatero | compro | vamos |

1. Mario es el _____.

2. Mario trabaja en la _____.

3. Estas son las _____.

4. Alana y su mamá _____ mucha ropa.

5. Yo _____ frutas y verduras.

6. Compro pan en la _____.

7. ¡_____ de compras!

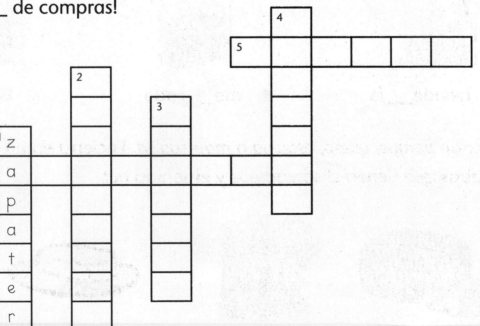

Semana 2 Las personas de la comunidad

Descubre el español con Santillana Level D © Santillana USA

Nombre _____ Fecha _____

A. Lee las palabras. Encierra en un círculo la letra *r*.

1. panadería   2. zapatería   3. mercado   4. heladería

B. Escribe *r* o *rr*.

1. pe___o   2. ca___o   3. pa___que

4. helade___ía   5. me___cado   6. ba___io

C. Escribe *parque, queso, esquina* o *mantequilla*. Encierra en un círculo las sílabas que tienen el sonido *que* y el sonido *qui*.

1. _____   2. _____   3. _____   4. _____

Nombre _____ Fecha _____

A. Lee y colorea.

1. El perro es blanco y negro.

2. La silla es roja.

3. El sofá es amarillo.

4. El policía tiene un uniforme verde.

B. Escribe el color. Colorea el rectángulo del color correspondiente.

1. a_m_a__i__lo

2. __e__ro

3. r__ __o

4. __er__e

5. b__a__co

Descubre el español con Santillana Level D © Santillana USA

Nombre _____ Fecha _____

A. Une. Encierra en un círculo las palabras similares en español y en inglés.

1.

el supermercado

2.

el mercado

3.

el médico

4.

el vendedor

5.

la comunidad

B. Lee y responde.

1. ¿Qué color te gusta? _____

2. ¿Qué color no te gusta? _____

3. ¿Te gusta ir de compras? _____

4. ¿Qué te gusta comprar? _____

Nombre _____ Fecha _____

A. Observa el mapa. Completa las oraciones.

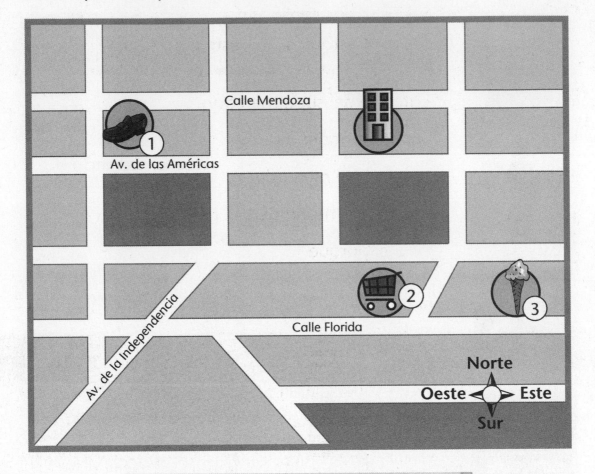

| sur | este | oeste | norte |

1. La calle Mendoza está al _____ de la calle Florida.

2. La zapatería está al _____ del apartamento.

3. El supermercado está al _____ del apartamento.

4. La heladería está al _____ del supermercado.

B. Mira los números en el mapa. Escribe *primero, después* o *por último.*

1. _____, caminamos a la zapatería.

2. _____, caminamos al supermercado.

3. _____, caminamos a la heladería.

Nombre _____ Fecha _____

A. Escoge y completa.

| estás | estoy | estamos | está | están | estamos |

1. Yo _____ enfrente del supermercado.

2. Ella _____ en la panadería.

3. Nosotros _____ en el mercado.

4. Tú _____ al lado del monumento.

5. Ellos _____ en el parque.

B. ¿Dónde están? Completa. Usa *enfrente* o *al lado*.

1. Alana está _____ de Kai.

2. El árbol está _____ de la panadería.

3. Alana y Kai están _____ de la panadería.

4. La panadería está _____ de la tienda de ropa.

Nombre _____ Fecha _____

A. Escribe *cierto* o *falso*. Corrige las oraciones falsas.

1. El vendedor trabaja en el supermercado.

   _____

   _____

2. El zapatero trabaja en la escuela.

   _____

   _____

3. El médico trabaja en el hospital.

   _____

   _____

4. El panadero trabaja en la tienda de ropa.

   _____

   _____

B. Estás en la sala de chat. Responde con tu información.

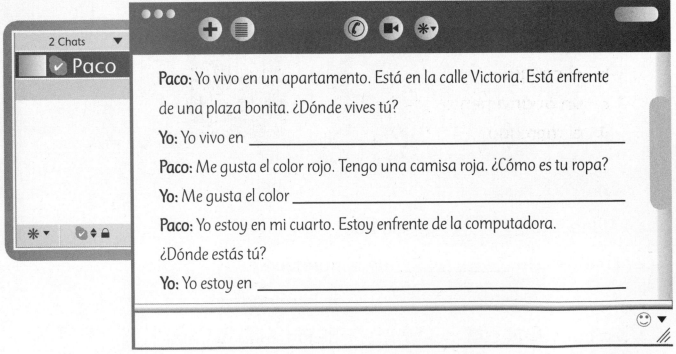

2 Chats ▼

✓ Paco

Paco: Yo vivo en un apartamento. Está en la calle Victoria. Está enfrente de una plaza bonita. ¿Dónde vives tú?

Yo: Yo vivo en _____

Paco: Me gusta el color rojo. Tengo una camisa roja. ¿Cómo es tu ropa?

Yo: Me gusta el color _____

Paco: Yo estoy en mi cuarto. Estoy enfrente de la computadora. ¿Dónde estás tú?

Yo: Yo estoy en _____

Descubre el español con Santillana Level D © Santillana USA

Nombre _____ Fecha _____

▶ Escoge.

1. Los niños _____ en la zapatería.
   a. estamos
   b. está
   c. están
   d. estás

2. Me gusta _____.
   a. la blusa
   b. el pantalón
   c. la falda
   d. la camisa

3. Ellos compran en _____.
   a. la plaza
   b. la panadería
   c. la tienda de ropa
   d. la heladería

4. La niña vive en _____.
   a. una casa
   b. el campo
   c. un apartamento
   d. el mercado

Nombre _____   Fecha _____

5. La zapatería está al
   _____ del restaurante.

   a. norte

   b. sur

   c. este

   d. oeste

6. Estoy en _____.

   a. el comedor

   b. la cocina

   c. el cuarto

   d. la sala

7. El sofá está en _____.

   a. el baño

   b. la sala

   c. el dormitorio

   d. la cocina

8. Escoge la oración correcta.

   a. qué linda la blusa.

   b. ¿Qué linda la blusa?

   c. Qué linda la blusa!

   d. ¡Qué linda la blusa!

Descubre el español con Santillana Level D © Santillana USA

Nombre _____ Fecha _____

▶ Busca las palabras. Encierra las palabras en un círculo.

| baloncesto | aburrido | divertido | béisbol | visitar |
| ruinas | fútbol | museo | gente | jugar |

```
p  a  s  a  t  i  e  m  p  o  s  g
r  d  i  v  e  r  t  i  d  o  o  e
b  a  l  o  n  c  e  s  t  o  v  d
u  r  f  j  b  m  v  r  u  p  i  i
d  a  u  a  u  o  p  p  i  t  s  v
f  b  f  i  n  g  q  o  h  d  i  a
ú  u  c  n  n  e  a  d  i  s  t  b
t  r  n  c  z  a  b  r  e  q  a  r
b  r  p  t  f  a  s  x  s  y  r  r
o  i  b  é  i  s  b  o  l  y  b  i
l  d  m  g  j  m  u  s  e  o  s  d
f  o  v  i  s  ú  m  g  e  n  t  e
```

Nombre _____ Fecha _____

A. Completa.

| divertidos | aburridos | jugar | visitar |

1. A los niños les gusta ____jugar____ baloncesto.

2. A Kai le gusta _____ los museos.

3. Me gusta visitar lugares _____.

4. No me gusta visitar lugares _____.

B. Ordena los días de la semana.

| __martes | __lunes | __sábado | __jueves |

| _1_domingo | __viernes | __miércoles |

C. Une.

1. Yo ⚽ ─────────────→	juego fútbol.
2. Tú ⚾	juega baloncesto.
3. Él 🏀	juegas béisbol.
4. Nosotros ⚾	juegan fútbol.
5. Ellos ⚽	jugamos béisbol.

Descubre el español con Santillana Level D © Santillana USA

Nombre _____ Fecha _____

A. Escribe *oír* o *ver*.

1. Me gusta _____ las trompetas.

2. Es difícil _____ el desfile.

3. No me gusta _____ los tambores.

B. Mira los dibujos. Lee y escoge.

1. Jugar baloncesto es ((fácil)/ difícil).

2. Jugar béisbol es (fácil / difícil).

3. La clase es (aburrida / divertida).

4. La clase es (aburrida / divertida).

Nombre _____ Fecha _____

▶ Lee las pistas. Completa el crucigrama.

matemáticas	compañeros	mediodía	mañana
sociales	lápices	reglas	tarde

1. Mis __Companeros__ de clase y yo aprendemos español.

2. Yo uso __lápices__ en las clases.

3. Por la __tarde__ yo juego fútbol.

4. Yo uso __reglas__ en las clases.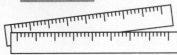

5. Yo estudio __matemáticas__

6. Por la __mañana__ yo saludo a mi maestra.

7. Me gusta la clase de ciencias __Sociales__.

8. Al __mediodía__ almuerzo en la cafetería.

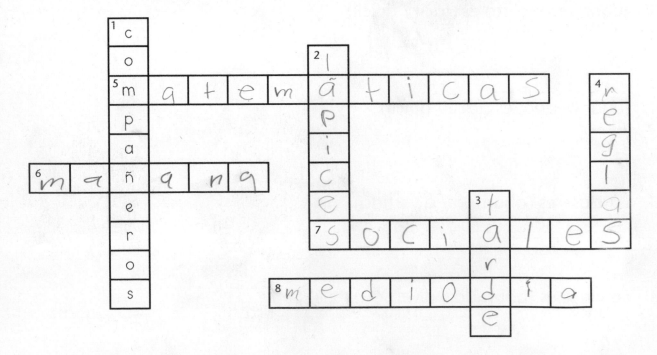

Nombre _____ Fecha _____

A. Escribe el nombre de cada dibujo.

| gemelos | gigante | ~~general~~ |
| jueves | ~~genio~~ | ~~gelatina~~ |

1. <u>gigante</u>

2. <u>gelatina</u>

3. <u>genio</u>

4. _____

5. <u>general</u>

6. _____

B. Lee y escribe *g* o *j*.

1. __ugar

2. <u>J</u>irafa

3. __irasol

4. __untos

Nombre _____   Fecha _____

A. Une.

1.    a. números

2.   0 1
       2 3
       4 5
       6 7
       8 9   b. calendarios

3. 4 + 2 = 6

    3 - 1 = 2

    7 + 3 = 10   c. matemáticas

B. Identifica los números mayas.

dos   seis   diez   veinte

1.   _____

2.   _____

3.   _____

4.   _____

Nombre _____ Fecha _____

▶ Busca las palabras. Encierra las palabras en un círculo.

guitarra	música	enseño	difícil
invito	hacer	tocar	fácil

```
g  u  i  t  a  r  r  a  p  o  s
r  t  o  i  n  v  i  t  o  a  o
b  e  y  s  i  t  a  s  t  o  m
u  o  n  J  b  m  v  r  u  p  ú
d  v  b  s  t  o  p  p  i  t  s
f  o  f  v  e  o  q  o  h  h  i
á  x  c  n  m  ñ  c  d  i  a  c
c  v  n  c  z  a  o  a  e  c  a
i  n  p  t  f  a  n  x  r  e  o
l  r  d  i  f  í  c  i  l  r  b
l  n  m  g  j  h  m  l  j  a  s
```

Nombre _____ Fecha _____

A. Corrige la oración.

1. Qué aburrido!

   <u>¡Qué aburrido!</u>

2. ¿Tocas con la banda.

   _____

3. ¿Adiós?

   _____

4. Sí, quiero jugar, pero no puedo?

   _____

5. Tengo que estudiar

   _____

B. Ordena las oraciones.

1. niño El toca guitarra. la

   <u>El niño toca la guitarra.</u>

2. béisbol! divertido ¡Es jugar

   _____

3. divierte ¿Te ver televisión? la

   _____

Nombre _____ Fecha _____

A. Lee la invitación. Escoge la respuesta correcta.

Hola, compañeros de clase:

Los invito a una celebración divertida esta semana. Yo toco en un concierto con mi banda en la escuela. Yo toco el tambor, mi hermano toca la trompeta y Ángela toca la guitarra. La música es muy bonita. El concierto es el viernes por la tarde en el gimnasio.

Un saludo,

Julieta

1. ¿Dónde es el concierto?
   a. (en el gimnasio)   b. en la cafetería   c. en la casa

2. Julieta invita a sus _____ a la celebración.
   a. hermanos   b. compañeros   c. maestros

3. Julieta toca _____.
   a. el tambor   b. la guitarra   c. la trompeta

4. El concierto es _____.
   a. el jueves   b. el sábado   c. el viernes

B. Escribe las palabras de la invitación que son similares en español y en inglés.

1. invito _____   2. _____

3. _____   4. _____

5. _____   6. _____

7. _____   8. _____

Nombre _____ Fecha _____

▶ Lee las pistas. Completa el crucigrama.

> lenguaje mañana horario cuatro
> noche tarde siete ocho

1. A las seis de la _____, como cereal.

2. A las _____, tengo un partido de fútbol.

3. A las nueve de la _____, estoy en mi cama. 9:00 PM

4. Veo mi _____ de actividades. ¡Tengo mucho que hacer!

5. A las _____, veo la televisión.

6. A las _____, tengo la clase de matemáticas. 8:00 AM

7. En la clase de _____, leemos muchos libros.

8. A las tres de la _____, voy a casa.

Descubre el español con Santillana Level D © Santillana USA

A. Completa. Escribe *Es* o *Son*.

1. <u>Son</u>____ las tres de la tarde.

2. _____ la una de la mañana.

3. _____ las siete de la noche. Voy al cine.

4. _____ la una de la tarde. Voy a almorzar.

B. Une.

1.    Es la una de la tarde.

2.    Son las tres de la tarde.

3.    Son las ocho de la mañana.

4.    Son las cinco de la mañana.

5.   Son las cinco de la tarde.

6.   Son las ocho de la noche.

Nombre _____ Fecha _____

A. Lee. Completa el mensaje.

| el | la | un | una |

¡Hola!

Hoy tengo muchas clases. A las nueve de la mañana tengo __la__ clase de matemáticas.

¡Es _____ clase difícil! En la clase yo uso un lápiz, _____ libro y _____ regla. A la una

de la tarde tengo la clase de lenguaje. _____ libro de lenguaje es interesante. Mi maestra

es _____ señora Pérez. Ella es _____ maestra muy buena.

¿Qué clases tienes tú?

Hasta luego,

Marta

B. Responde.

1. ¿Qué clases tienes por la mañana?

_____

2. ¿Qué clases divertidas tienes?

_____

3. ¿A qué hora tienes la clase de español?

_____

4. ¿Qué haces el viernes?

_____

Nombre _____ Fecha _____

► Escoge.

1.

martes		jueves
Julio 2011		
3	4	5
10	11	12
17	18	19

    a. lunes

    b. miércoles

    c. viernes

    d. domingo

2. Adriana usa ____ computadora

   para escribir correos electrónicos.

   a. el

   b. un

   c. la

   d. es

3. Me divierte leer _____ .

   a. lápices

   b. reglas

   c. calendarios

   d. libros

4.

   a. Son las diez de la mañana.

   b. Es la diez de la mañana.

   c. Son las diez de la tarde.

   d. Es la diez de la noche.

Nombre _____ Fecha _____

5. Me gusta tocar la guitarra.
   Es _____.

   a. aburrido
   b. divertido
   c. concierto
   d. por la mañana

6. Es divertido _____ las trompetas
   y los tambores.

   a. oír
   b. jugar
   c. visitar
   d. escribir

7. Aprendo los números. Estoy en
   la clase de _____.

   a. ciencias sociales
   b. español
   c. matemáticas
   d. lenguaje

8. ¡Me gusta _____ el museo!

   a. oír
   b. visitar
   c. jugar
   d. comer

Descubre el español con Santillana Level D © Santillana USA

▶ Busca las palabras. Encierra las palabras en un círculo.

mascotas	hámster	conejos	pájaros	tortuga
peces	perros	gato	lento	rápido

```
r  m  a  s  c  o  t  a  s  a  c  p
p  n  j  l  n  c  v  s  r  t  o  a
h  á  f  p  e  r  r  o  s  o  n  j
á  v  j  a  u  o  p  p  i  r  e  r
m  o  f  a  n  e  q  o  h  t  j  s
s  x  c  n  r  e  j  d  i  u  o  o
t  v  g  c  z  o  á  n  e  g  s  m
e  n  p  a  f  o  s  x  s  a  o  a
r  r  b  k  t  n  b  c  l  y  b  s
n  n  m  n  j  o  j  c  e  n  l  p
o  p  e  c  e  s  a  l  m  i  a  e
n  l  r  á  t  r  á  p  i  d  o  c
```

Nombre _____ Fecha _____

A. Une.

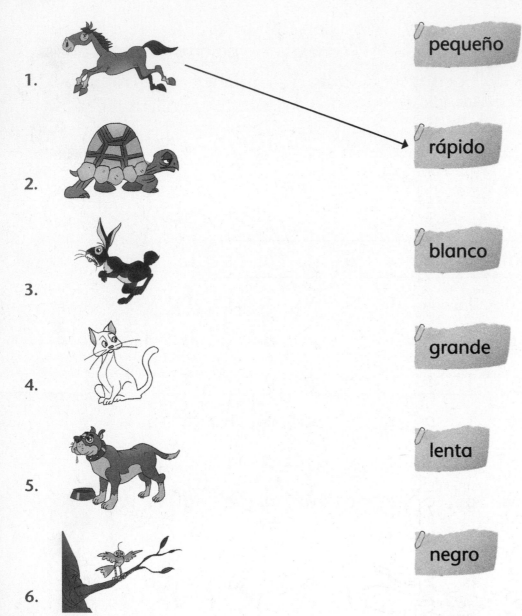

1.

2.

3.

4.

5.

6.

pequeño

rápido

blanco

grande

lenta

negro

B. Escribe *o* o *y*.

1. A mi papá le gustan los peces, los gatos, los perros _y_ los conejos.

2. ¿Te gustan más los gatos ____ las tortugas?

3. A Sandra le gustan los hámsters ____ los peces.

4. Yo quiero un conejo ____ un perro. No quiero los dos.

Descubre el español con Santillana Level D © Santillana USA

Nombre _____ Fecha _____

▶ Colorea.

1.

El loro es rojo y verde.

2.

El perro es blanco y negro.

3.

La tortuga es verde y azul.

4.

Hay tres peces: uno verde, uno
rojo y uno amarillo.

Nombre _____ Fecha _____

▶ Observa las pistas. Completa el crucigrama.

| guacamayo | mamíferos | jaguar | largas |
| llama | mono tití | alas | aves |

1. Los pájaros tienen dos _____.

2. Los guacamayos, los cóndores y las cigüeñas son _____.

3. Éste es un _____.

4. Las patas de la cigüeña son _____.

5. Los monos, los jaguares y las llamas son _____.

6. El _____ es rápido.

7. El _____ es de muchos colores.

8. El hábitat de la _____ es la cordillera de los Andes.

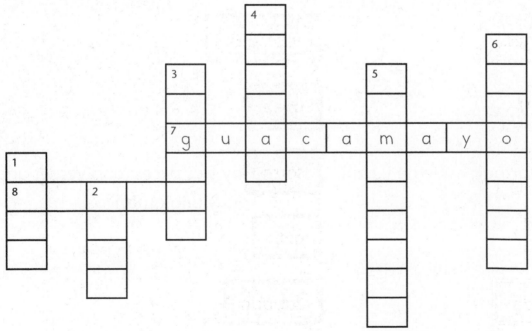

Nombre _____ Fecha _____

A. Completa las palabras. Escribe *s* o *c*.

1. __igüeña

2. __eñor

3. pe__es

4. ca__a

B. Escoge la palabra correcta.

1. soológico   zoológico

2. aves   avez

3. zorro   sorro

4. asul   azul

5. sábado   zábado

Nombre _____ Fecha _____

▶ Escoge y completa.

1. La tortuga está en el _____ .
   a. animal   b. (agua)

2. El _____ es el roedor más grande
   del mundo.
   a. chigüiro   b. conejo

3. El niño cuida la _____ .
   a. casa   b. naturaleza

4. En Colombia hay animales en peligro
   de _____ .
   a. casa   b. extinción

5. En Colombia los niños _____
   a los animales.
   a. bailan   b. cuidan

6. Éstos son _____ .
   a. peces   b. animales

Nombre _____ Fecha _____

▶ Ordena las letras. Escribe la palabra.

1. El ____pavo____ es grande.
   vopa

2. Las _____ ponen huevos.
   nalgisal

3. La _____ está enferma.
   ajove

4. Aquí tenemos _____.
   safinase

5. Los _____ son amarillos.
   tospillo

6. ¡Visitamos una _____!
   argnaj

Nombre _____ Fecha _____

A. Lee. Encierra en un (círculo) de *quién* habla la oración. <u>Subraya</u> *¿qué hace?*

1. ¡(Yo) <u>quiero una gallina</u>!

2. El granjero alimenta a los animales.

3. El caballo corre rápido.

4. Los pollitos caminan y comen.

5. La cabra y la vaca dan leche.

B. Completa.

| el caballo | la gallina | la vaca | el granjero |

1. ¿Quién cuida la granja? _____

2. ¿Quién da leche? _____

3. ¿Quién corre muy rápido? _____

4. ¿Quién pone huevos? _____

C. Une.

1. La cabra   comen pasto.

2. El perro   corre rápido.

3. Las ovejas   da leche.

4. El pollito   come maíz.

Nombre _____ Fecha _____

▶ Completa. Usa palabras que describen.

pequeños	blanca	grande	hermosos
negro	suave	rápido	

1. La vaca es ___grande___ y ___blanca___.

2. El toro es _____ y _____.

3. Los pavos reales son _____.

4. La oveja es _____ y _____.

5. Los terneros son _____.

6. El caballo es muy _____.

Nombre _____ Fecha _____

▶ Busca las palabras. Encierra las palabras en un círculo.

acompañar	aventuras	cocodrilo	pirañas	iguana
buscar	cruzar	llegar	selva	río

```
p  i  r  a  ñ  a  s  n  m  e  i  g
d  o  í  r  w  l  c  l  o  p  l  e
b  j  o  m  q  j  c  l  v  o  l  l
u  e  t  k  e  h  i  r  l  a  a  l
s  h  y  l  k  r  g  e  u  v  g  e
c  b  n  q  d  e  l  r  r  z  e  g
a  m  e  o  m  i  y  q  e  w  a  a
r  l  c  d  s  e  l  v  a  d  r  r
t  o  h  m  b  k  w  d  q  q  c  l
c  e  i  g  u  a  n  a  u  o  o  v
r  a  c  o  m  p  a  ñ  a  r  c  a
u  z  a  v  e  n  t  u  r  a  s  r
```

Nombre _____ Fecha _____

A. Une.

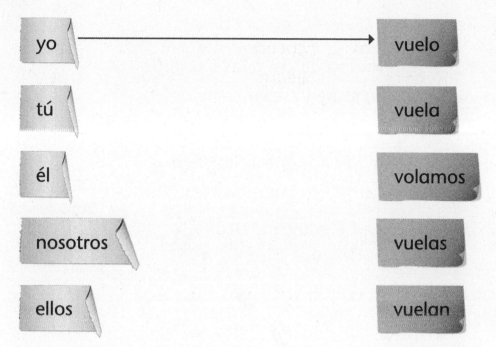

yo	vuelo
tú	vuela
él	volamos
nosotros	vuelas
ellos	vuelan

B. Escoge y completa.

1. La gallina no _____.
   a. volamos   b. ⬭vuela⬭

2. El delfín _____ grande.
   a. son   b. es

3. Los perezosos _____ lentos.
   a. son   b. es

4. El mono _____ pequeño.
   a. son   b. es

Nombre _____ Fecha _____

A. Lee. Encierra en un círculo los nombres de los animales.

El veterinario cuida a las mascotas, a los animales de la granja y a los animales de la selva.

El veterinario cuida a los animales grandes y a los animales pequeños. Él cuida a los gatos, los perros, los caballos, las ovejas, los monos y las iguanas.

¡El trabajo del veterinario es muy importante!

B. Completa la tabla.

Los animales que cuida el veterinario		
mascotas	animales de la selva	animales de la granja

C. Responde.

1. ¿Qué animal es grande? _____

2. ¿Qué animal es pequeño? _____

Nombre _____ Fecha _____

▶ Escoge y completa.

1. La tortuga es _____.
   a. amarilla
   b. rápida
   c. suave
   d. lenta

2. Yo tengo _____.
   a. una cigüeña
   b. una oveja
   c. un loro
   d. un ternero

3. El cóndor _____.
   a. vuelo
   b. volar
   c. vuelan
   d. vuela

4. Los niños están en _____.
   a. la granja
   b. el zoológico
   c. la selva
   d. el río

5. El cocodrilo _____ grande.

   a. son

   b. eres

   c. es

   d. soy

6. Yo tengo tres _____.

   a. perros

   b. peces

   c. pavos

   d. pollitos

7. Las gallinas de la granja ponen _____.

   a. leche

   b. pan

   c. carne

   d. huevos

8. Identifica ¿quién? El veterinario cuida a los animales de la granja.

   a. El veterinario

   b. cuida

   c. los animales

   d. la granja

Descubre el español con Santillana Level D © Santillana USA

Nombre _____ Fecha _____

▶ Lee las pistas. Completa el crucigrama.

| pescado | verduras | hambre | sabrosa |
| jugos | mango | arroz | frutas |

1. Yo quiero comer. ¡Tengo _____!

Anoche comí 2. _____  y 3. _____

4. La comida es _____.

Me gusta comer 5. _____  y 6. _____

7. Ayer yo bebí _____.

8. El _____ es una fruta tropical.

Nombre _____ Fecha _____

A. Escribe el nombre.

| tenedor | cuchillo | plato | cuchara |
| vaso | taza | servilleta | |

1. _tenedor_

2. _____

3. _____

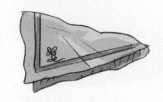

4. _____

5. _____

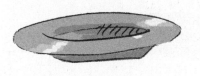

6. _____

7. _____

B. Escoge y completa.

1. Ayer yo _____ verduras.

   a. comí   **b.** bebí

2. Anoche yo _____ refrescos.

   a. comí   **b.** bebí

A. Une.

1.

La ensalada es sabrosa.

2.

El plátano es delicioso.

3.

La naranja y la piña son frutas tropicales.

4.

Los frijoles son muy ricos.

B. Responde.

1. ¿Qué plato te gusta comer?

_____

2. ¿Qué fruta te gusta comer?

_____

3. ¿Qué postre te gusta comer?

_____

4. ¿Qué te gusta beber?

_____

Nombre _____ Fecha _____

▶ Lee las pistas. Completa el crucigrama.

| caliente | postres | bebida | dulce |
| huele | flan | frío | |

1. El _____ de mango está delicioso.

2. Me gusta comer _____ como el flan y el helado.

3. El postre está _____ .

4. El jugo de frutas es una _____ rica.

5. El helado está muy _____ .

6. ¡La comida se ve y _____ deliciosa!

7. La taza de chocolate está muy _____ .

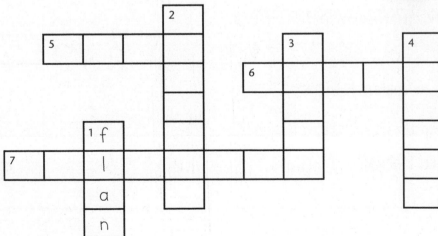

Nombre _____ Fecha _____

A. Busca las palabras. Enciérralas en un círculo.

quesadilla   picadillo   camello   vainilla

yogur   yoyo   yate

```
c a m e l l o n g l
q u e s a d i l l a
v s l u n r t w e o
v a h u n r d w e o
g h i n u l e e y r
y b h n n g n o m y
a o o n i f y v r q
t y g f j l n m t n
e s a u l i l i a v
h f g j r s u a l p
p i c a d i l l o y
```

B. Lee las palabras. Encierra en un círculo la *ll* o *y*.

1. r o d i l l a   2. y u c a   3. s e r v i l l e t a   4. y a t e

C. Completa las palabras. Escribe *ll* o *y*.

1. cuchi___o   2. ___ogur   3. picadi___o   4. ___o___o

Nombre _____ Fecha _____

A. ¿Suenan igual? Escribe *sí* o *no*.

1. ay   hay   ___sí___

2. Sara   cara   _____

3. cazar   casar   _____

4. suenan   sueñan   _____

5. vez   ves   _____

6. pollo   polo   _____

7. bello   vello   _____

B. Escoge y completa.

1. Los novios se van a _____ mañana.

   a. cazar   **b.** casar

2. El niño es _____.

   a. bello   **b.** vello

3. Es la primera _____ que como pescado con coco.

   a. vez   **b.** ves

4. _____ que comprar verduras para la ensalada.

   a. Ay   **b.** Hay

Nombre _____ Fecha _____

A. Ordena las letras. Escribe las palabras.

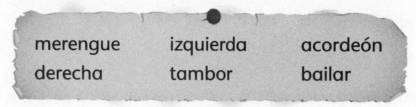

| merengue | izquierda | acordeón |
| derecha | tambor | bailar |

1. El ____merengue____ es un baile de la República Dominicana.
   remnugee

2. Los pasos son simples. Vamos a mover los pies a la

   _____ y a la _____.
   zirqiduea **cherade**

3. Escucha el sonido del güiro, el _____ y el
   ónedorac

   _____.
   rambot

4. ¿ Aprendiste a _____?
   labair

B. Mira el dibujo. Escribe las partes del cuerpo.

| pies | ojos | nariz | cabeza | manos | hombros | boca |

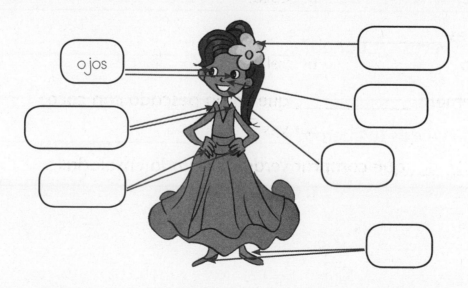

ojos

Nombre _____ Fecha _____

A. Encierra en un círculo las palabras que dicen cuándo.

1. (Ayer) aprendí a bailar.

2. Yo siempre cuido mi cuerpo.

3. A veces yo practico los pasos de merengue.

4. Javier nunca baila merengue.

5. Bailé mucho ayer. Ahora me duelen los pies.

B. Lee las oraciones. Encierra en un círculo las palabras que dicen *quién*. Subraya las palabras que dicen *qué hizo*.

1. (La maestra) enseñó la clase.

2. Alana y Kai aprendieron a bailar merengue.

3. Patricia aprendió a mover los hombros.

4. Yo bailé mucho.

5. Nosotros practicamos los pasos.

C. Responde.

1. ¿Qué aprendiste ayer? _____

_____

2. ¿Bailas a veces? ¿Cuándo? _____

_____

3. ¿Cuándo cuidas tu cuerpo? _____

_____

Nombre _____ Fecha _____

A. Escoge y completa.

Latinoamérica	merengue	Siempre
mezcla	típico	Ahora

El _____ es un baile _____ de República

Dominicana. Es una _____ de ritmos de África y de otras

partes del mundo. _____ se baila en muchas partes de

_____. ¡_____ es divertido bailar al ritmo

del merengue!

B. Completa las oraciones.

1. Es divertido _____.

2. Para cuidar mi cuerpo yo _____.

3. Ayer aprendimos _____.

4. Para bailar, muevo mis _____.

Descubre el español con Santillana Level D © Santillana USA

▶ Busca las palabras. Enciérralas en un círculo.

garganta	rodillas	brazos	pies
dedos	cabeza	oídos	duelen

```
c  d  u  e  l  e  n  g  i  t  u
a  c  y  u  d  o  e  n  g  o  r
r  t  a  f  e  t  v  a  a  í  m
o  e  a  b  d  b  t  t  e  d  p
d  w  e  e  r  q  n  n  m  o  i
i  k  i  t  s  a  é  i  e  s  e
l  s  v  q  g  c  z  i  a  v  s
l  t  e  r  g  b  d  o  n  m  a
a  b  a  n  x  b  z  x  s  e  s
s  g  r  w  d  e  d  o  s  r  v
a  m  c  a  b  e  z  a  é  s  i
```

Descubre el español con Santillana Level D © Santillana USA

Nombre _____ Fecha _____

A. Une.

1.
Yo	aprendiste a mover las manos.
Tú	aprendió a mover los pies.
Él	aprendí a bailar.
Ellos	aprendimos a escuchar la música.
Nosotros	aprendieron a cuidar su cuerpo.

2.
Yo	comió pescado.
Tú	comí verduras.
Él	comiste frutas.
Nosotros	comieron pollo.
Ellos	comimos arroz.

B. Escoge y completa.

1. Ayer Kai _____ a bailar merengue.

   a. aprendieron   b. aprendió

2. Anoche nosotros _____ a mover los hombros.

   a. aprendí   b. aprendimos

3. Esta mañana tú _____ frutas tropicales.

   a. comió   b. comiste

4. Ayer el señor _____ flan de coco.

   a. comí   b. comió

Nombre _____ Fecha _____

▶ Escribe tu blog. Describe tu día de ayer y de hoy. Dibuja una
"foto" del día.

| INICIO | FOTOS | PAÍSES | MAPAS | MENSAJES | CANCIONES |

Enviar

El blog de _____ .

Hoy estoy muy _____ .

Ayer yo _____

_____

_____

_____ .

Hoy _____

_____

_____

_____ .

Nombre _____ Fecha _____

▶ Escoge.

1. Los niños _____ ñame y yuca en el carnaval.

   a. comí

   b. comió

   c. comieron

   d. comiste

2. Yo uso _____ para comer.

   a. la servilleta

   b. el cuchillo

   c. el tenedor

   d. la cuchara

3. Mi bebida favorita es _____.

   a. el pescado con coco

   b. el merengue

   c. el güiro

   d. el jugo de frutas

4. Yo quiero comer. Tengo _____.

   a. restaurante

   b. hombro

   c. hambre

   d. sed

Nombre _____ Fecha _____

5. Me duele _____.

   a. el oído

   b. el dedo

   c. la rodilla

   d. el pie

6. Me gusta _____.

   a. el plátano

   b. el mango

   c. la naranja

   d. la piña

7. _____ mi hermano comió mucho.

   a. Mañana

   b. Ayer

   c. Sabroso

   d. Nunca

8. Mi amiga _____ a bailar merengue.

   a. aprendí

   b. aprendiste

   c. aprendió

   d. aprendimos

Descubre el español con Santillana Level D © Santillana USA

▶ Busca las palabras. Encierra las palabras en un círculo.

primavera	invierno	soleado	verano	estación
región	otoño	clima	calor	frío

```
s o l e a d o g í o n f
o f r í o m i r v t e r
c a l r ñ v e o t ñ o e
e c a l o m e p a o o g
s l e p r i v r e p t i
t i s v e n e m a i o ó
a m t s o v r e d n ñ n
m a a l a i c i ó n o o
e l c m t e l r n o r t
a e i p i r m a v i e r
d r ó o ó n i p ó n t i
p e n t ñ o a c a l o r
```

Descubre el español con Santillana Level D © Santillana USA

Nombre _____ Fecha _____

▶ Observa el mapa. Escoge y completa.

1. La primavera es una _____.

   a. región   b. estación

2. Granada está en el _____ de España.

   a. norte   b. sur

3. El tiempo en Barcelona está _____.

   a. nublado   b. soleado

4. En el norte de España hace _____.

   a. calor   b. frío

5. En Granada hace _____.

   a. frío   b. calor

Descubre el español con Santillana Level D © Santillana USA

Nombre _____ Fecha _____

A. Completa el calendario.

B. Une.

1. noviembre, abril, junio y septiembre

2. febrero

3. enero, marzo, mayo, julio, agosto, octubre, noviembre y diciembre

Tiene 28 días (29 en bisiesto).

Tienen 30 días.

Tienen 31 días.

Nombre _____ Fecha _____

▶ Lee las pistas. Completa el crucigrama.

| autobús | viajar | avión | barco | carro | tren |

1. ¡A mí me gusta _____!

2. Ellos llegaron a Granada en _____ .

3. Nosotros llegamos a Barcelona en _____ .

4. Víctor viaja en _____ por la ciudad.

5. ¿Tú llegaste en _____?

6. Mi mamá viaja en _____ .

Nombre _____ Fecha _____

A. Escribe *b* o *v*.

1.

a__ión

2.

__iñedo

3.

__icicleta

4.

__arco

B. Completa con *b* o con *v*.

1. Yo __iajo en a__ión.

2. __arcelona es una ciudad muy __onita.

3. __amos de __acaciones en __erano.

4. La a__uela de __eto __ive en el País __asco.

Nombre _____ Fecha _____

A. Ordena y escribe.

1. Nosotros tren en viajamos

   <u>Nosotros viajamos en tren.</u>

2. en auto Viajo por ciudad la

   _____

3. tiene preciosos Europa pueblos

   _____

4. llueve Granada mucho En

   _____

5. Me viajar encanta en avión

   _____

B. Ordena las sílabas. Escribe las palabras.

1. cio   pre   so   <u>precioso</u>

2. pa   ro   Eu   _____

3. co   bar   _____

4. blo   pue   _____

5. ja   via   mos   _____

6. go   lue   _____

C. Escribe una oración con la palabra.

1. llueve: _____

2. ciudad: _____

Descubre el español con Santillana Level D © Santillana USA

Nombre _____ Fecha _____

▶ Busca las palabras. Encierra las palabras en un círculo.

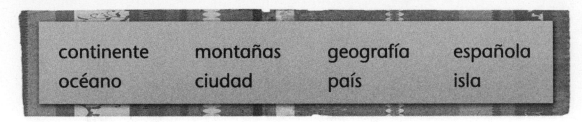

continente	montañas	geografía	española
océano	ciudad	país	isla

m o n t a ñ a s m e ñ
i h i r w l c l t p g
e s j m q j f n v p e
s e l k e h e t l a o
w h y a k n g e y í g
a b n q i e l r r s r
r m e t m i y q e w a
y l n d c i u d a d f
t o h m b k w d q q í
c e o c é a n o u o a
p a r e s p a ñ o l a

Nombre _____ Fecha _____

A. Marca con ✓ las oraciones que dan una orden.

1.	¡Ten cuidado!	✓
2.	Ana, camina más rápido.	
3.	¡Que linda es España!	
4.	Marcos viajó a Granada hoy.	
5.	Me gusta pasear por Madrid.	
6.	Toma una foto del jardín.	

B. Completa.

paseó	montó	viajó	visitó

1. Alana _____montó_____ en bicicleta por la ciudad de Madrid.

2. Kai _____ el palacio.

3. Alana _____ en avión a Barcelona.

4. Álvaro _____ por el jardín.

C. Mira el dibujo. Escribe una oración que de una orden.

1.

_____

_____

2.

_____

_____

Nombre _____ Fecha _____

A. Lee las pistas. Completa el crucigrama.

lloviendo   periódico   nevando   nublado
viento   calor   frío

1. Está _____.

2. Está _____.

3. En verano está soleado y hace _____.

4. Miremos el informe del tiempo en el _____.

5. Está _____.

6. Hace _____.

7. En invierno hace _____.

Nombre _____ Fecha _____

A. Escoge la palabra correcta.

1. Alana y Kai viajaron en barco por el (río / Río) Tajo.

2. El océano (atlántico / Atlántico) es grande.

3. Barcelona es una (ciudad / Ciudad) bonita.

4. El país al oeste de (españa / España) es (portugal / Portugal).

B. Corrige.

1. El río tajo está en toledo.

_____

2. Las islas canarias son hermosas en primavera.

_____

3. Alana viajó en barco por el océano atlántico.

_____

4. Las montañas altas se llaman los pirineos.

_____

5. Me gusta visitar españa en junio.

_____

6. Me gusta el viejo continente de europa.

_____

C. Completa las oraciones.

1. España _____

2. Estados Unidos _____

Nombre _____ Fecha _____

A. Une.

1. | Yo | fue de viaje a Barcelona.

2. | Él | fueron juntos a pasear.

3. | Nosotros | fui con Alana a visitar Salamanca.

4. | Tú | fuimos ayer de viaje a Madrid.

5. | Ellos | fuiste con Kai a pasear por el jardín.

B. Lee y completa.

> fuimos   fueron   Estaba
>
> Hacía   fue   fui

1. Álvaro _____ fue _____ a Granada el fin de semana pasado.

2. El mes pasado, mis amigos y yo _____ de viaje a España.

3. Mis amigos _____ al Parque del Retiro. _____ soleado.

4. Yo _____ a Toledo. _____ mucho viento.

Nombre _____ Fecha _____

▶ Lee el informe del tiempo. Completa.

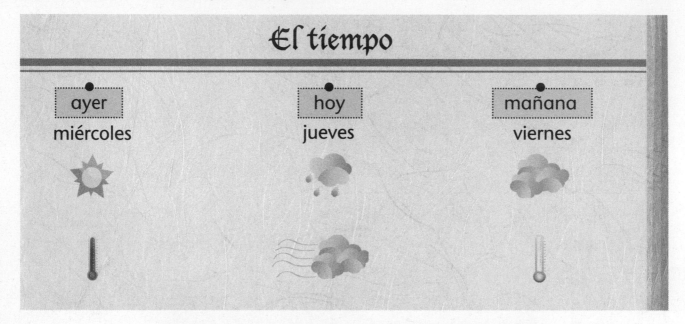

El tiempo

ayer	hoy	mañana
miércoles	jueves	viernes

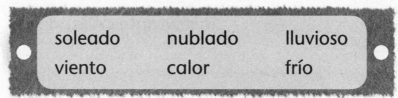

soleado   nublado   lluvioso

viento   calor   frío

1. Hoy el tiempo está _____lluvioso_____ y hace _____.

2. Ayer estaba _____ y hacía _____.

3. Mañana va a estar _____.

4. Mañana va a hacer _____.

B. Responde.

1. ¿Qué tiempo hace hoy en tu comunidad?

_____

2. ¿Qué lugares visitas cuando hace calor?

_____

3. ¿Qué lugares visitas cuando hace frío?

_____

Descubre el español con Santillana Level D © Santillana USA

Nombre _____ Fecha _____

▶ Escoge.

1. Viajo en _____ por el río.
   a. avión
   b. carro
   c. tren
   d. barco

2. El tiempo está _____.
   a. lluvioso
   b. nublado
   c. soleado
   d. nevando

3. Madrid es _____ importante de España.
   a. un continente
   b. un país
   c. un pueblo
   d. una ciudad

4. Son los meses de invierno.
   a. diciembre, enero, febrero
   b. marzo, abril, mayo
   c. junio, julio, agosto
   d. septiembre, octubre, noviembre

Nombre _____ Fecha _____

5. Me gusta viajar en _____.

    a. barco

    b. avión

    c. carro

    d. tren

6. España es _____.

    a. un continente

    b. un país

    c. un pueblo

    d. una montaña

7. Ayer _____ lluvioso.

    a. está

    b. hacía

    c. estaba

    d. va a estar

8. Ayer yo _____ con Alana a visitar
a mi abuelo en Toledo.

    a. fueron

    b. fue

    c. fui

    d. fuimos

▶ Busca las palabras. Encierra las palabras en un círculo.

ingeniero	escritora	profesión	bailarín
seremos	doctor	artista	seré

```
a  r  t  o  c  t  í  n  r  i  ó  n
v  i  n  g  e  n  i  e  r  o  n  a
e  s  c  r  i  t  o  r  a  y  r  a
a  s  v  b  e  a  j  h  k  b  a  é
d  b  e  a  r  t  i  s  t  a  r  l
o  e  a  r  o  v  n  f  j  i  t  a
c  s  a  v  e  s  c  v  s  l  i  i
t  v  n  o  ó  m  c  s  d  a  s  b
o  i  z  i  x  c  o  u  t  r  e  s
r  v  v  w  p  z  x  s  r  í  n  a
d  p  r  o  f  e  s  i  ó  n  r  p
e  s  e  r  é  s  e  r  e  í  s  c
```

Nombre _____ Fecha _____

A. Identifica las profesiones.

| fotógrafo | ingeniera | bailarín | doctora |

1.

_____

2.

_____

3.

_____

4.

_____

B. Escoge.

1. El médico (pinta un cuadro / ayuda a un enfermo).

2. La escritora (diseña una casa / escribe un libro).

3. La cantante (canta una canción/ toma una foto).

C. Completa.

| artista | cantante | arquitecta | enfermero | científico |

1. Trabajaré en un hospital. Seré __enfermero__ .

2. Trabajaré en un laboratorio. Seré _____ .

3. Trabajaré en un teatro. Seré _____ .

4. Trabajaré en una oficina. Seré _____ .

5. Trabajaré en un estudio de arte. Seré _____ .

Descubre el español con Santillana Level D © Santillana USA

Nombre _____ Fecha _____

A. Une.

1. Trabajo con el gobierno.   Soy cantante.

2. Escribo canciones.   Soy político.

3. Canto canciones.   Soy compositor.

4. Actúo en películas.   Soy actor.

B. Escribe *cierto* o *falso*. Corrige las oraciones falsas.

1. La escritora pinta un cuadro.

_____

2. El arquitecto diseña una casa.

_____

3. El compositor escribe una foto.

_____

4. La cantante trabaja en un hospital.

_____

C. Responde.

1. ¿Qué profesional serás?

_____

2. ¿Dónde trabajarás?

_____

Descubre el español con Santillana Level D © Santillana USA

Nombre _____ Fecha _____

▶ Busca las palabras. Encierra las palabras en un círculo.

| computadora | tecnología | casa móvil | inventaré |
| teléfono | invento | videojuego | |

```
v  i  d  e  o  j  u  e  g  o  a  l
v  i  n  v  e  n  t  o  r  r  u  a
t  s  c  r  i  t  o  r  o  y  c  i
e  c  v  b  e  a  j  d  k  b  a  n
l  b  e  a  r  t  a  s  t  c  s  v
é  e  a  i  o  t  n  f  j  a  a  e
f  s  a  v  u  s  c  v  s  s  m  n
o  v  n  p  ó  b  c  s  d  a  ó  t
n  i  m  i  x  c  m  u  t  r  v  a
o  o  v  w  p  z  x  n  r  í  i  r
c  i  n  v  t  a  r  é  ó  n  l  é
v  t  e  c  n  o  l  o  g  í  a  g
```

Nombre _____ Fecha _____

A. Escoge y completa.

| pingüinos | cigüeña | lengüita | agüita |

1. Verónica inventará una tecnología para hablar

   con una _____ .

2. Verónica usa su computadora para aprender

   sobre los _____ .

3. Al pingüino le gusta nadar en el _____ fría.

4. El pingüino usa su _____ para tomar agua.

B. Escribe *v* o *b*.

1. Yo in_v_entaré una ___icicleta que ___uela.

2. El ___eterinario cuida a las ___acas y o___ejas enfermas.

3. El escritor escri___e li___ros ___uenos.

4. Nosotros ___iajaremos en una casa mó___il.

C. Ordena las letras. Escribe la palabra.

1. Yo tomo fotos con mi _____ .
   racáma

2. Verónica busca información en _____ .
   terlnnet

3. El _____ es una tecnología importante.
   tésalite

4. Me gusta jugar _____ .
   gosdeojuevi

Nombre _____ Fecha _____

A. Completa.

| trabajan | océanos | invento |
| barcos | viajar | |

El Canal de Panamá es un _____invento_____ muy importante que une los _____ Atlántico y Pacífico. El Canal tiene esclusas que se usan para subir y bajar el nivel de agua y permitir el paso de los _____. Muchas personas _____ en el Canal de Panamá todos los días para que los barcos puedan _____ de un océano a otro.

B. Responde.

1. ¿Por qué es un invento importante el Canal de Panamá?

   _____

   _____

2. ¿Quieres viajar a Panamá? ¿Por qué?

   _____

   _____

3. ¿Inventarás algo? ¿Qué?

   _____

   _____

Nombre _____ Fecha _____

▶ Lee las pistas. Completa el crucigrama.

electrónicos	astronauta	vendedora
presidente	satélite	taxista

1. El teléfono y la computadora son aparatos _____.

2. El _____ es un político importante.

3. La _____ trabaja en una tienda.

4. Necesitamos un _____ para enviar mensajes por la televisión.

5. El _____ me llevará a la tienda en su taxi.

6. Un _____ viaja al espacio.

Nombre _____ Fecha _____

A. Une las oraciones para formar una sola oración. Usa *y* o *pero*.

1. Quiero ser actriz. También quiero ser astronauta.

   _____

2. Mi papá es ingeniero. Mi mamá es profesora.

   _____

3. Quiero tomar fotos. La cámara no funciona.

   _____

4. El vendedor vende televisores. No vende satélites.

   _____

B. Ordena. Escribe las oraciones.

1. interesante trabajo Es el

   ¿_____?

2. es El muy trabajo interesante

   ¡_____!

3. talento el Tiene actor

   ¿_____?

4. actor El talento mucho tiene

   ¡_____!

C. Escoge y completa.

1. Ayer _____ música.
   a. enseñaré   b. enseñé

2. Mañana yo _____ el televisor.
   a. repararé   b. reparé

Descubre el español con Santillana Level D © Santillana USA

Nombre _____ Fecha _____

A. Completa.

autobús   carro   bicicleta   pie

1. Muchos trabajadores van al trabajo en _____.

2. Otros van al trabajo en _____.

3. Otros van al trabajo a _____.

4. Algunos van al trabajo en _____.

B. Responde.

1. ¿Qué medios de transporte usan los trabajadores en Panamá?

_____

2. ¿Qué medio de transporte usas tú para ir a la escuela?

_____

3. Imagina. ¿Qué nuevo invento te llevará al trabajo en el futuro?

_____

Nombre _____ Fecha _____

A. Ordena las letras. Escribe las palabras.

> herramientas   construiré   diseñaré   usaré
>
> máquina   obreros   inventaré   materiales

1. En el futuro, yo ____inventaré____ una _____ del tiempo.
   veinnréta   **aniqámu**

2. Primero, _____ la máquina.
   ñadréise

3. Luego, _____ la máquina.
   nocusitérr

4. Trabajaré con un ingeniero y unos _____ .
   roberso

5. Usaré _____ y _____ especiales.
   lematrisea   **eharmirensat**

6. Por último, _____ la máquina.
   ésuar

B. Imagina que tienes una máquina del tiempo o un videojuego.
Completa.

1. ¿Qué inventarás?

   Yo inventaré _____.

2. ¿Qué harás?

   Primero, _____.

   Después, _____.

   Por último, _____.

Descubre el español con Santillana Level D © Santillana USA

Nombre _____ Fecha _____

A. Une.

1. | Yo | trabajarás en un laboratorio.

2. | Tú | trabajarán en una oficina.

3. | Él | trabajaré en un hotel.

4. | Nosotros | trabajará en un hospital.

5. | Ellos | trabajaremos en un teatro.

B. Escoge y completa.

1. Yo _____trabajaré_____ con un científico.
   a. trabajará   b. (trabajaré)

2. Los médicos _____ en el hospital mañana.
   a. trabajarás   b. trabajarán

3. El arquitecto _____ en su oficina.
   a. trabajarán   b. trabajará

4. Nosotros _____ con materiales especiales.
   a. trabajará   b. trabajaremos

5. Mañana tú _____ con la doctora
   en el hospital.
   a. trabajarás   b. trabajaremos

Nombre _____ Fecha _____

A. Une.

1. Él es un arquitecto.

2. Ella es una ingeniera.

3. Él es un obrero.

4. Ella es una policía.

Construye las obras públicas.

Cuida las obras públicas.

Supervisa la construcción de las obras públicas.

Diseña obras públicas.

B. Completa con tu información. Dibújate.

1. En el futuro, yo seré

_____.

2. Yo trabajaré en

_____.

3. Mi tecnología favorita será

_____.

yo, en el futuro

Nombre _____ Fecha _____

▶ Escoge.

1. El escritor _____ muchos libros.

   a. diseña

   b. juega

   c. escribe

   d. canta

2. En el futuro, nosotros _____ en una oficina.

   a. trabajarás

   b. trabajaremos

   c. trabajamos

   d. trabajarán

3. Yo _____ una máquina de tiempo.

   a. diseñará

   b. diseñaré

   c. diseñarás

   d. diseñarán

4. Los científicos trabajan en _____.

   a. una tienda

   b. un estudio de arte

   c. un laboratorio

   d. un teatro

5. El _____ me llevará en un taxi a la tienda.

    a. artista

    b. cantante

    c. enfermero

    d. taxista

6. La vendedora _____ herramientas.

    a. pinta

    b. canta

    c. ayuda

    d. vende

7. Me gusta hablar por _____ con mis amigos.

    a. casa móvil

    b. teléfono celular

    c. invento

    d. máquina

8. Ayer la maestra _____ español.

    a. enseñé

    b. enseña

    c. enseñó

    d. enseñará

Nombre _____ Fecha _____

▶ Lee las pistas. Completa el crucigrama.

| quinceañera | ceremonia | muñeca |
| mujer | tradición | festejar |

1. Sofía cumple quince años. Celebra su cambio de niña
   a _____ .

2. Su familia y sus amigos van a _____ y disfrutar
   en la fiesta.

3. Sofía debe regalar su _____ a una niña menor.

4. Durante la _____, la quinceañera cambia sus
   zapatos bajos por unos de tacón alto.

5. Sofía es la _____ .

6. Celebrar la fiesta de quince años es una _____
   mexicana muy importante.

Descubre el español con Santillana Level D © Santillana USA

Nombre _____ Fecha _____

A. Mira el dibujo. Escoge.

1. En la fiesta de quince años, la quinceañera y los invitados (cantarán / bailarán).

2. En la fiesta (habrá / cantará) una ceremonia para celebrar que Sofía ya es mujer.

3. Los mariachis (cantarán / comerán) bellas canciones mexicanas.

B. Une.

1. Las palabras con el **mismo** significado.

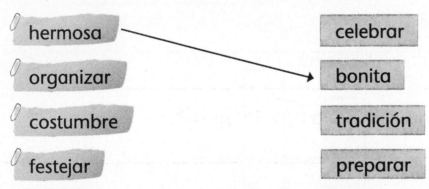

hermosa	celebrar
organizar	bonita
costumbre	tradición
festejar	preparar

2. Las palabras con significados **opuestos**.

alto	divertido
aburrido	pequeño
feliz	bajo
grande	triste

Nombre _____ Fecha _____

A. Completa.

| chambelán | evento | desfila | fiesta | vida | vals |

1. La fiesta de quince años es un _____ evento _____ muy importante.

2. La quinceañera _____ con catorce niñas y catorce niños.

3. Las catorce niñas representan cada año de _____ de la quinceañera.

4. La quinceañera baila el _____ con un joven que se llama el _____ .

5. La _____ de quince años es muy divertida.

B. Responde.

1. ¿Cuántas niñas desfilan con la quinceañera? _____

2. ¿Qué representan las niñas?

   _____

   _____

3. ¿Por qué es importante esta fiesta para las niñas?

   _____

   _____

4. ¿Hay fiestas como esta en tu comunidad? _____

5. ¿Quieres ir a una fiesta de quince años? ¿Por qué?

   _____

   _____

Nombre _____ Fecha _____

▶ Busca las palabras. Encierra las palabras en un círculo.

espectáculo   celebración   mariachi   serenata
festival   especial   chistes   fecha

s c e l e b r a c i ó n
p y r s e t s s h c v s
e s x a e v e c e n f e
c r e g n t m v s a e s
h o u r s a a b t o s p
t l s i e b r n i m t e
e l h e b n i m s j i c
s c a b m e a i o u v i
r f e c h a c t n e a a
e n i l r c h b a m l l
n e o b m r i b n e i b
a (e s p e c t á c u l o)

Nombre _____ Fecha _____

A. Escoge y completa.

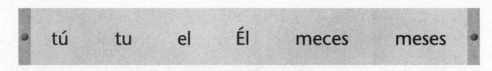

| tú | tu | el | Él | meces | meses |

1. Sofía, me gustó ____tu____ fiesta de quince años.

2. Alana, _____ bailas muy bien.

3. _____ come muchos tacos en la fiesta.

4. Compré _____ regalo de la quinceañera.

5. El Día de la Madre será en cinco _____.

6. Tú _____ a la muñeca en tus brazos.

B. Observa los dibujos. Completa las palabras.

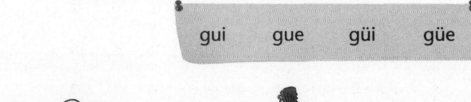

| gui | gue | güi | güe |

1. _____so

2. _____tarra

3. pin_____no

4. meren_____

5. ju_____tes

6. ci_____ña

Nombre _____ Fecha _____

A. Lee y completa.

recordar	regalos	sociedad
abril	domingo	tercer

1. En México se celebra el Día del Niño el 30 de _____.

2. Es un día para _____ que los niños son importantes
   para la _____.

3. En México, se celebra este día con fiestas, dulces y _____.

4. El Día del Niño en Panamá es el _____ domingo de julio.

5. En Argentina es el segundo _____ de agosto.

B. Completa la invitación. Tú organizarás una fiesta del Día del Niño
   en tu clase.

¡Una celebración!

¿Qué celebraremos? _____

¿Dónde celebraremos? _____

Fecha: _____

Hora: _____

¿Qué comeremos? _____

¿Qué haremos para celebrar? _____

Descubre el español con Santillana Level D © Santillana USA

Nombre _____ Fecha _____

▶ Busca las palabras. Encierra las palabras en un círculo.

bandera	patriota	histórico	feriado
orgullo	amor	país	

```
f  e  r  i  a  d  o  i  i  m  n  p
y  r  u  v  n  m  e  o  a  h  s  í
s  p  a  e  v  b  c  r  n  i  m  a
r  a  a  a  n  d  r  g  a  s  i  s
o  u  m  t  a  a  b  u  o  t  t  u
l  s  c  o  r  r  n  l  m  ó  k  l
l  t  e  b  r  i  m  l  j  r  l  l
r  a  b  m  e  a  o  o  u  i  m  o
v  m  i  s  c  c  t  t  e  c  o  d
n  i  í  r  c  h  b  a  a  o  c  a
e  a  t  o  p  a  t  a  p  i  b  i
p  s  b  a  n  d  e  r  a  l  o  r
```

Nombre _____ Fecha _____

A. Encierra en un círculo quiénes participan en la celebración.
Subraya qué hacen en la celebración.

1. (Nosotros) cantamos junto a los mariachis.

2. Mi familia y yo celebramos el Día de la Independencia.

3. Mi amigo Andrés lleva su guitarra a la celebración.

4. Los niños no van a la escuela.

B. Une las oraciones para formar una sola oración. Usa *y* o *pero*.

1. Los niños tocan los instrumentos musicales. Nosotras cantamos.

   _____

2. Sofía prepara tacos. Yo como un guiso.

   _____

3. Yo quiero ir a la plaza. No puedo ir porque vivo lejos.

   _____

4. Mi amigo quiere tocar el tambor con la banda. El tambor está roto.

   _____

C. Completa.

| ¡ | ! | ¿ | ? | . |

1. Mis amigos vienen a la fiesta ☐

2. ☐ Qué harás para el Día de la Independencia ☐

3. ☐ Qué hermosa está la plaza ☐

4. Me gusta la música de los mariachis ☐

Nombre _____ Fecha _____

A. Completa.

saludo   himno nacional   símbolo   desfilan

1. La bandera es el _____ más importante de México.

2. Para celebrar el Día de la Bandera, los niños mexicanos
   _____ y hacen el _____ a la bandera.

3. Luego, los niños cantan el _____ .

B. Responde.

1. ¿Celebran los niños el Día de la Bandera en tu escuela? ¿Qué hacen?
   _____

2. ¿Cuándo cantas el himno nacional en tu país?
   _____

3. ¿Cuándo es el Día de la Independencia en tu país?
   _____

4. ¿Como celebrarás el Día de la Independencia este año?
   _____

Nombre _____ Fecha _____

▶ Lee las pistas. Completa el crucigrama.

| decoraremos | artesanos | alebrijes |
| tamaños | anuncio | precios |

1. Mi familia y yo _____ la casa para el Día de los Muertos.

2. Los _____ mexicanos hacen decoraciones bonitas.

3. Compraremos decoraciones de diferentes _____:
pequeñas, medianas y grandes.

4. Los _____ son figuras
fantásticas y coloridas.

5. Vi un _____ en Internet de
un artesano que hace alebrijes bonitos.

6. Yo quiero saber los _____ de los alebrijes.

Descubre el español con Santillana Level D © Santillana USA

Nombre _____ Fecha _____

A. Escoge.

1. Hoy los mexicanos (decoraron / decoran) sus casas con papel picado.

2. En el pasado los indígenas (decoran / decoraron) sus casas con papel picado.

3. En el futuro los niños (decorarán / decoran) sus casas con papel picado para seguir la tradición.

B. Lee. Escribe *Hoy, Ayer* o *Mañana*.

1. Yo decoré mi casa con unos alebrijes bonitos. _____

2. Celebraremos el Día de los Muertos. _____

3. Iré a Oaxaca a visitar a un artesano. _____

4. Los artesanos hacen alebrijes fantásticos. _____

5. Celebré con una familia mexicana. _____

6. Aprenderé a hacer alebrijes. _____

C. Une.

Mis amigos y yo

El sábado

Los niños

Yo

viajaré a Oaxaca y compraré alebrijes.

aprenderán las costumbres de los indígenas.

celebraremos el Día de la Bandera.

será un día muy divertido para Alana.

Nombre _____ Fecha _____

A. Escribe el nombre de cada dibujo.

| frijoles refritos | mariachis | tortillas | tacos |

1.

_____

2.

_____

3.

_____

4.

_____

B. Completa la tabla.

	México	Mi comunidad
Comida típica	los tacos	
Música tradicional		
Celebraciones		

Nombre _____ Fecha _____

▶ Escoge.

1. En la fiesta de quince años, la quinceañera celebra el cambio
   de niña a _____ .
   a. mujer
   b. muñeca
   c. chambelán
   d. mariachi

2. La _____ es que la quinceañera regala su muñeca a
   una niña menor.
   a. baile
   b. tradición
   c. típica
   d. artesanía

3. Los mexicanos _____ el Día de la Madre en mayo.
   a. celebran
   b. celebras
   c. celebro
   d. celebración

4. En la escuela, _____ preparamos un espectáculo.
   a. yo
   b. nosotros
   c. tú y tus amigos
   d. el estudiante

5. La fiesta es divertida, no es _____.

   a. baja

   b. pequeña

   c. aburrida

   d. hermosa

6. En el futuro, los niños _____ sus casas con papel picado.

   a. decoraron

   b. decoran

   c. decorarán

   d. decoramos

7. El _____ los mexicanos celebran con banderas y desfiles. Es un día histórico.

   a. Día de la Independencia

   b. Día de los Muertos

   c. Día de la Madre

   d. Día del Niño

8. La bandera es _____ de México.

   a. el símbolo

   b. la comida típica

   c. el saludo

   d. la música tradicional

SANTILLANA USA
Language Education Experts

Hojas de actividad

Nombre: _____ Fecha: _____

Hoja de actividad 1   **Tabla de 2 columnas**

Nombre: _____ Fecha: _____

Descubre el español con Santillana Level D © Santillana USA

Nombre: _____   Fecha: _____

Hoja de actividad 3   **Tabla de 4 columnas**

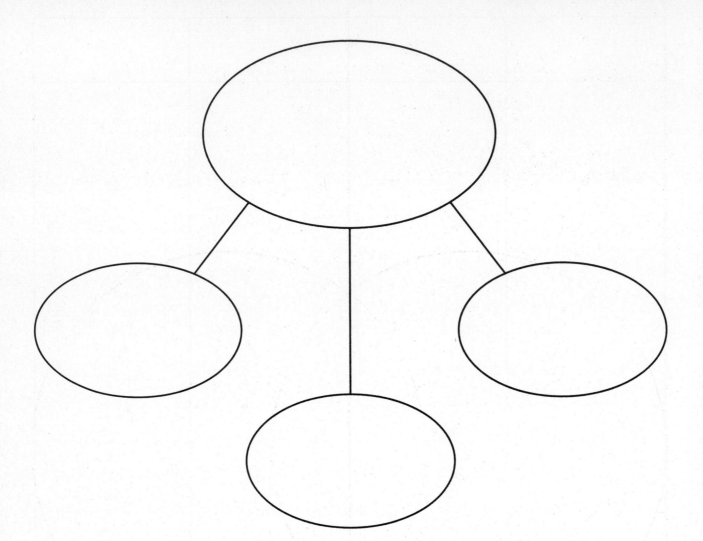

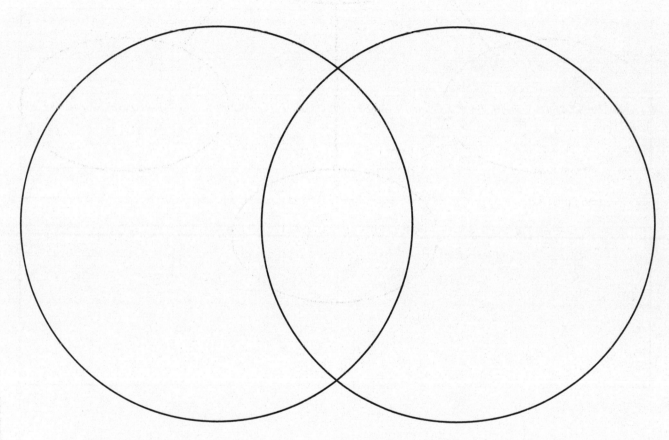

Nombre: _____ Fecha: _____

```
┌─────────────────────────────────────────────────────────────┐
│                                                             │
│                                                             │
│                                                             │
│                                                             │
└─────────────────────────────────────────────────────────────┘

┌─────────────────────────────────────────────────────────────┐
│                                                             │
│                                                             │
│                                                             │
│                                                             │
└─────────────────────────────────────────────────────────────┘

┌─────────────────────────────────────────────────────────────┐
│                                                             │
│                                                             │
│                                                             │
│                                                             │
└─────────────────────────────────────────────────────────────┘

┌─────────────────────────────────────────────────────────────┐
│                                                             │
│                                                             │
│                                                             │
│                                                             │
└─────────────────────────────────────────────────────────────┘
```

Descubre el español con Santillana Level D © Santillana USA

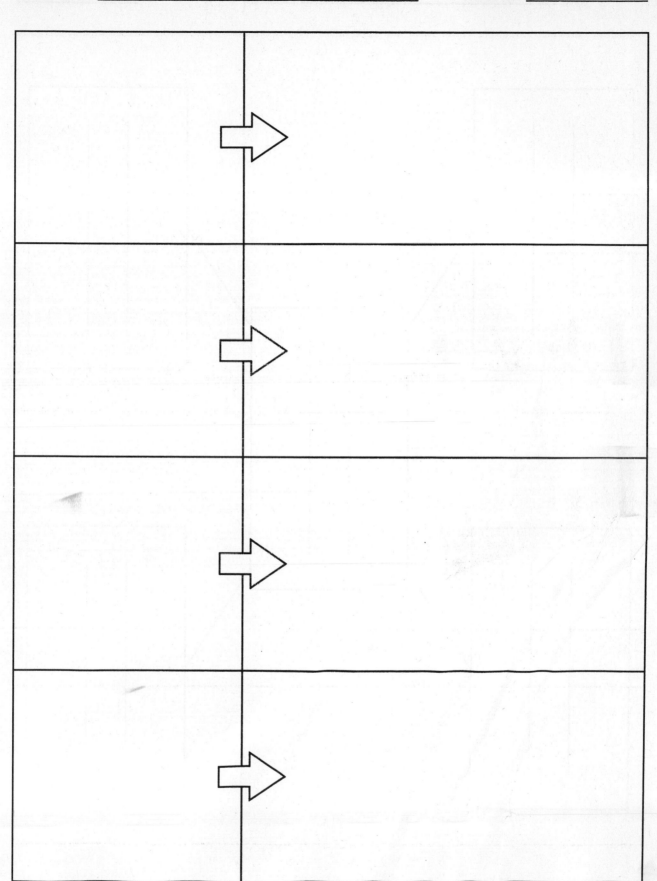

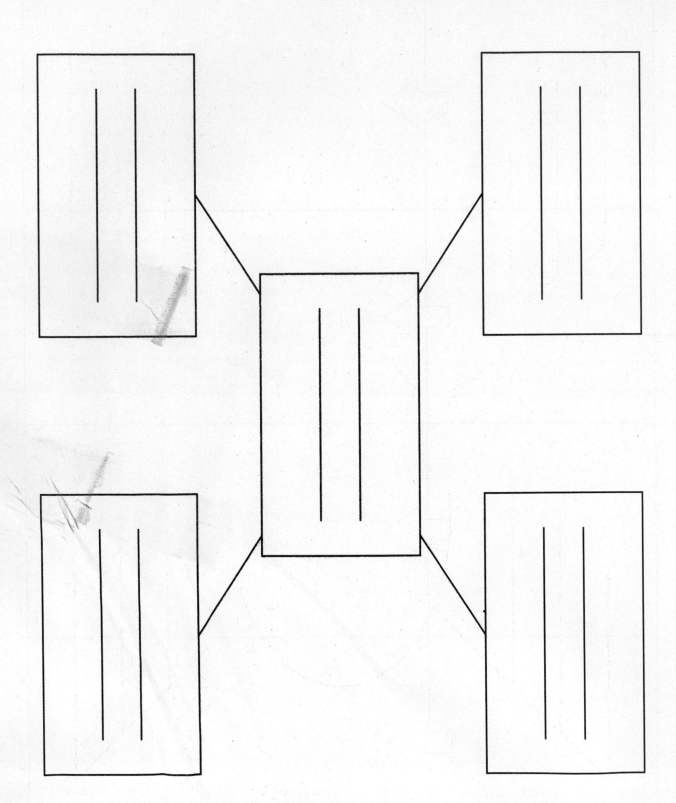

Red de palabras

Nombre: _____ Fecha: _____

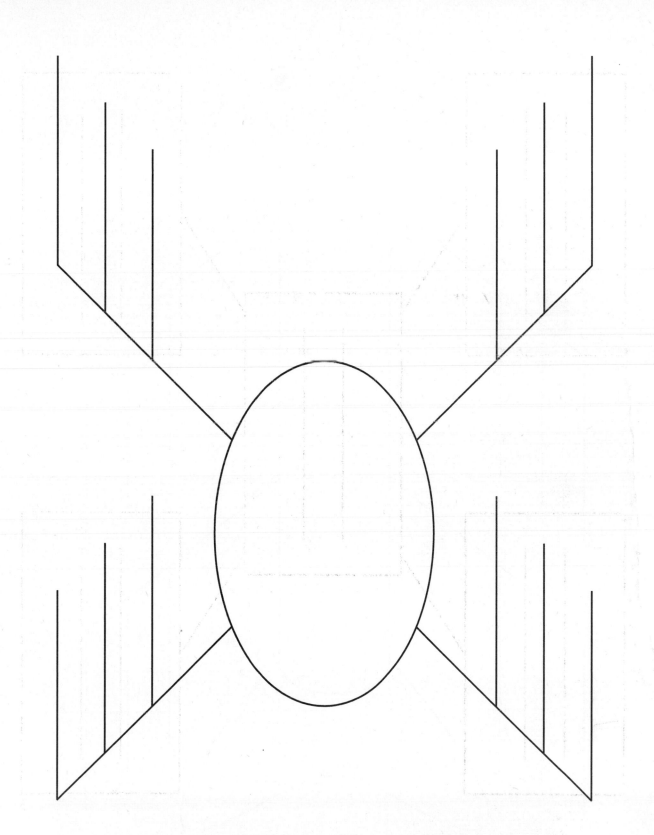

Nombre: _____   Fecha: _____

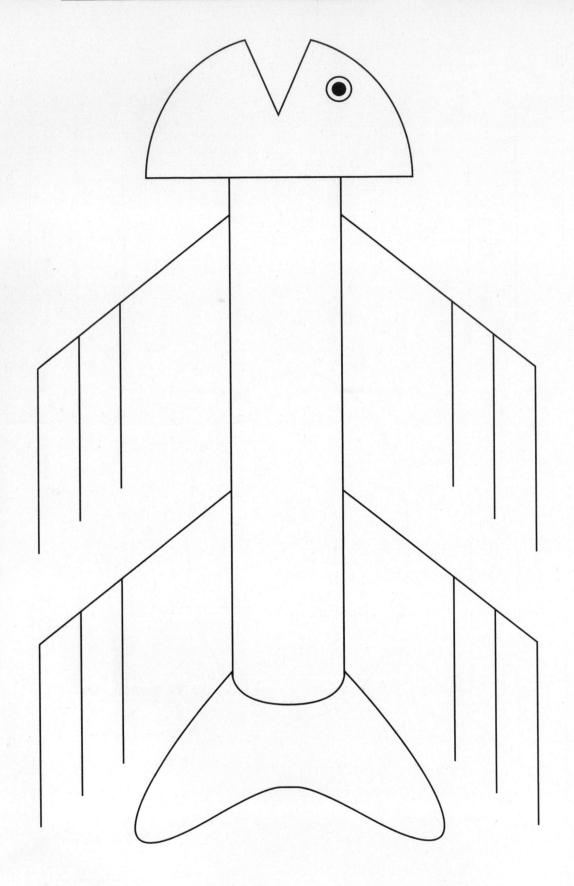